Home and After-School Connections

Level 4

Columbus, OH

The McGraw·Hill Companies

SRAonline.com

Send all inquiries to:
SRA/McGraw-Hill
8787 Orion Place
Columbus, OH 43240-4027

Printed in the United States of America.

ISBN 0-07-601870-9

2 3 4 5 6 7 8 9 MAZ 10 09 08 07 06 05 04

Table of Contents

Introduction

This book contains two types of blackline masters for each unit in the *Art Connections* program. The first is a newsletter introducing students' families to the concepts being taught in each *Art Connections* unit. Each newsletter describes the elements and principles being taught, suggests ways for families to reinforce these concepts at home, and lists books that provide good examples of the unit concepts. There is also a place for you to list art materials that families could contribute.

The second type of blackline master for each unit contains an activity that students can do with their families at home. The activities use easy-to-find, inexpensive materials, and are designed to be done with adult supervision. They give students and their parents or guardians an opportunity to work together while reinforcing art concepts.

Students Explore Art!

This year your student will be part of an exciting visual-arts education program. Students in this art class will:

- explore the great art, artists, and cultures of the world.
- develop skills to understand and appreciate artwork.
- participate in hands-on art activities.
- develop critical thinking skills by studying others' artwork as well as their own.

More and more the arts are playing a vital role in education and learning. Unlike many other subject areas, the arts introduce students to ways of thinking that are based on imagination and judgment. The arts encourage students to think and learn in a variety of ways, in addition to using language and logic skills.

This year your student will begin to see the world through an artist's eyes and develop critical thinking skills that will last a lifetime.

Things to Do at Home

You can help your child practice art concepts at home with the following activities.

▶ Share and discuss family mementos with your child. What kinds of lines, shapes, and colors are there?

▶ Pay special attention to the illustrations in books that you read with your child. How do the illustrations contribute meaning to the story? Do the illustrations give information that is not in the text?

▶ Visit a museum with your child. During and after the visit, discuss the works of art with your child. Which works did your child like best? Why? What did your child think the artist was trying to say?

Can You Help?

Some materials that we could use for upcoming art projects include the following.

If you are able to donate any of these, please let me know

by _____.

_____

_____

_____

_____

_____

_____

Thank you,

_____

¡Estudiantes exploran el arte!

Este año su estudiante formará parte de un programa emocionante de artes visuales. Los estudiantes en este curso de arte:

- explorarán los artistas, las culturas y el gran arte del mundo.
- desarrollarán técnicas para entender y apreciar grandes obras de arte.
- participarán directamente en actividad artísticas.
- desarrollarán técnicas de pensamiento crítico a través del estudio de obras de arte de otras personas así de las suyas.

Más que nunca, hoy en día las artes tienen muy papel vital en la enseñanza y el aprendizaje. A diferencia de otras materias escolares, las artes introducen a los estudiantes a maneras de pensar basadas en la imaginación y el juicio. Las artes animan a los alumnos a pensar y aprender en varias maneras, aparte de utilizar técnicas de la lógica y del uso del lenguaje.

Este año su estudiante comenzará a ver el mundo a través de los ojos de un artista y desarrollar técnicas de pensamiento crítico que durarán toda una vida.de arte:

Cosas que hacer en casa

Ud. puede ayudar a su hijo o hija a practicar los conceptos del arte con las siguientes actividades.

▶ Comparta y discuta recuerdos familiar con su hijo o hija. ¿Qué tipos de líneas, figuras y colores encuentran?

▶ Ponga atención a las ilustraciones en los libros que Ud. lee con su hijo o hija. ¿Cómo contribuyen las ilustraciones para dar información que no se encuentra en el libro?

▶ Puede visitar un museo con su hijo o hija. Durante y después de la visita, discuta sobre las obras de arte con su hijo o hija. ¿Cuáles obras le gustan más a su hijo o hija? ¿Por qué? ¿Qué piensa su hijo o hija de lo qué el artista está comunicando?

¿Puede Ud. ayudar?

Algunos materiales que podríamos usar para proyectos artísticos en el futuro incluyen los siguientes.

Si puede donar cualquiera de éstos, por favor avíseme para el

_____.

_____

_____

_____

_____

_____

Gracias,

_____

Students Explore Line!

Students will soon begin the first unit of their *Art Connections* program—Line. As they progress through the lessons, students will:

- learn about lines, what they express, and how artists use them to create movement and interest.
- learn about gesture (quick action sketches) and contour (outline) drawings.
- look at lines in fine artwork.
- create their own pieces of art, including a poster, an observation drawing, and a still-life drawing.

Things to Do at Home

The projects your student may be doing include the creation of a still-life painting, a gesture drawing, and a plant drawing using Chinese painting techniques. You can help your student practice the concepts of this unit at home with the following activities.

▶ Encourage your student to trace in the air the outlines of objects with his or her finger. Your student can then make a drawing of the outlines on paper.

▶ With your student, look through a newspaper or mail order catalog for examples of lines. Discuss what kind of feelings you associate with these lines.

▶ Complete the Unit 1 activity "Picture Frame."

Good Books

You may want to look in your local library for these and other good books that show line.

Better Than a Lemonade Stand
    by Daryl Bernstein
The Fantastic Journey of Pieter Bruegel
    by Anders C. Shafer
Harry the Poisonous Centipede
    by Lynne Reid Banks
Prairie Dogs Kiss and Lobsters Wave
    by Marilyn Singer

Good Books

Can You Help?

Some materials that we could use for upcoming art projects include the following.

If you are able to donate any of these, please let me know

by _____.

_____

_____

_____

_____

_____

_____

_____

_____

Thank you,

_____

Boletín Familiar

¡Estudiantes exploran la línea!

Los estudiantes pronto comenzarán la primera unidad de su programa de *Art Connections*—La Línea. Mientras avanzan en las lecciones, los estudiantes:

- aprenderán de las líneas, lo que expresan y cómo artistas las usan para crear movimiento e interés.
- aprenderán sobre dibujos de gestos (borradores de acción rápida) y de contornos (o bosquejos).
- mirarán las líneas en grandes obras de arte.
- crearán sus propias obras de arte incluyendo un cartel, un dibujo de observación y un dibujo de la naturaleza muerta.

Cosas que hacer en casa

Los proyectos que su estudiante posiblemente hará incluyen la creación de una pintura de una naturaleza muerta y un dibujo de plantas usando técnicas de pintura chinas. Ud. puede ayudar a su estudiante a practicar los conceptos de esta unidad en casa con las siguientes actividades.

▶ Anime a su estudiante a trazar en el aire los contornos de objetos con su dedo. Su estudiante entonces puede hacer un dibujo de los objetos en hojas de papel.

▶ Con su estudiante, hojee un periódico o catálogo de pedir por correo buscando ejemplos de líneas. Discutan los tipos de sentimientos que se asocian con estas líneas.

▶ Complete la actividad "Marco para fotos" de la Unidad 1.

Buenos libros

Ud. puede querer buscar estos y otros buenos libros que muestran líneas en su biblioteca local.

Better than a Lemonade Stand
   de Daryl Bernstein
The Fantastic Journey of Pieter Bruegel
   de Anders C. Shafer
Harry the Poisonous Centipede
   de Lynne Reid Banks
Prairie Dogs Kiss and Lobsters Wave
   de Marilyn Singer

¿Puede Ud. ayudar?

Algunos materiales que podríamos usar para proyectos artísticos en el futuro incluyen los siguientes.

Si puede donar cualquiera de éstos, por favor avíseme para el

_____.

_____

_____

_____

_____

_____

_____

_____

Gracias,

_____

Picture Frame

Use line and shape to create a fun, unusual picture frame.

Materials

STEP 1

- wooden picture frame with a flat surface
- craft glue
- toothpicks
- scissors
- a variety of objects, such as buttons, shells, beads, or puzzle pieces
- sandpaper
- craft paint, any one color
- paintbrush and water container for craft paint

Directions

1. Find an old or new frame that has a flat surface. If you like the color of the frame, skip step 2. Collect objects to glue to the frame.

STEP 2

2. Lightly sand the outside of your frame. Choose a color and paint the frame. Let the frame dry.

3. Use a craft glue to attach the objects. Use the various object shapes to create lines that wander or zig-zag along the frame. Dot some glue onto the surface of the frame and carefully place the objects side by side. Use a toothpick to help control the objects and to push them into place.

4. Once your frame is dry, place a photo or original artwork that you like in it.

STEP 3

Marco para fotos

Usa línea y figura para crear un marco divertido pero extraño para una foto.

Materiales

- marco de madera con una superficie plana
- pegamento para artesanías
- palillos
- tijeras
- una variedad de objetos, como botones, conchas, gotas o piezas de rompecabezas
- papel de lija
- pintura para artesanías, cualquier color
- brocha, recipiente para agua para la pintura

PASO 1

Direcciones

1. Encuentra un marco nuevo o viejo que tenga una superficie plana. Si te gusta el color del marco, salta al segundo paso. Colecciona objetos para pegar al marco.

2. Lija ligeramente el exterior del marco. Escoge un color y pinta el marco. Permite que se seque el marco.

PASO 2

3. Usa el pegamento para artesanías para pegar los objetos. Usa las varias figuras de objetos para crear líneas en zig zag a lo largo del marco. Pon un poco de pegamento en la superficie del marco y cuidadosamente pon los objetos de lado a lado. Usa un palillo para ayudar a mover y controlar los objetos en su lugar.

4. Una vez tu marco está seco, pon una fotografía u obra de arte que te guste.

PASO 3

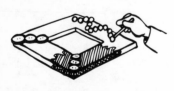

Students Explore Shape, Pattern, Rhythm, and Movement!

Students will soon begin the second unit of their *Art Connections* program—Shape, Pattern, Rhythm, and Movement. As they progress through the lessons, students will:

- learn about geometric and free-form shapes.
- learn about how patterns can be used to decorate a surface.
- learn about rhythm and movement in art and how they affect the viewer.
- look at shape, pattern, rhythm, and movement in fine artwork.
- create their own pieces of art, including a collage, a paper quilt, and a fantasy painting.

Things to Do at Home

The projects your student may be doing include a collage, a flowing rhythm design, and a paper quilt. You can help your student practice the concepts of this unit at home with the following activities.

▶ Visit a museum, library, or gallery with your student. Identify the different shapes the artists used.

▶ Have your student point out rhythm in repeating lines, colors, shapes, and patterns in wallpaper, clothing, and fabrics.

▶ Complete the Unit 2 activity "Papier-Mâché Snake."

Good Books

You may want to look in your local library for these and other good books that show shape, pattern, rhythm, and movement.

Going Back Home by Toyomi Igus
My Grandmother's Journey by John Cech
Here Is the African Savanna by Madeleine Dunphy
Runner in the Sun: A Story of Indian Maize by D'Arcy McNickle

Can You Help?

Some materials that we could use for upcoming art projects include the following.

If you are able to donate any of these, please let me know by _____.

_____
_____
_____
_____
_____
_____
_____
_____

Thank you,

_____

¡Estudiantes exploran figura, patrón, ritmo y movimiento!

Los estudiantes pronto comenzarán la segunda unidad de su programa de *Art Connections*—Figura, Patrón, Ritmo y Movimiento. Mientras avanzan en las lecciones, los estudiantes:

- aprenderán de formas geométricas y de forma libre.
- aprenderán cómo se puede usar patrones para decorar una superficie.
- aprenderán del ritmo y del movimiento en arte y como afectan el espectador.
- mirarán figuras, patrón, ritmo y movimiento en grandes obras de arte.
- crearán sus propias obras de arte, incluyendo un collage, una cobija de papel y una pintura fantástica.

Cosas que hacer en casa

Los proyectos que su estudiante posiblemente hará incluyen la creación de un collage, un diseño de ritmo fluyente y una cobija de papel. Ud. puede ayudar a su estudiante a practicar los conceptos de esta unidad en casa con las siguientes actividades.

► Visite un museo, biblioteca o galería con su estudiante. Identifiquen las formas diferentes usadas por los artistas.

► Pídale a su estudiante que señale ritmo en líneas, colores, figuras y patrones repetidores en papel de empapelar, ropa y telas.

► Complete la actividad "Serpiente de papel maché" de la Unidad 2.

Buenos libros

Ud. puede querer buscar estos y otros buenos libros que muestran forma, patrón, ritmo y movimiento en su biblioteca local.

Going Back Home de Toyomi Igus
My Grandmother's Journey de John Cech
Here Is the African Savanna de Madeleine Dunphy
Runner in the Sun: A Story of Indian Maize de D'Arcy McNickle

¿Puede Ud. ayudar?

Algunos materiales que podríamos usar para proyectos artísticos en el futuro incluyen los siguientes.

Si puede donar cualquiera de éstos, por favor avíseme para el

_____.

_____
_____
_____
_____
_____
_____
_____
_____

Gracias,

_____

Papier-Mâché Snake

Create a miniature snake. Use shape, pattern, rhythm, and movement.

Materials

- coat hanger or wire, wire cutters
- newspaper, masking tape
- liquid starch or wheat paste
- wax paper, craft paint
- paintbrush and water container
- craft glue

Note: Adult supervision required.

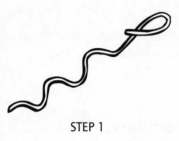

STEP 1

Directions

1. Cut a piece of wire or coat hanger for the snake's body. Loop one end for the head, and bend the body into a wavy line.

2. Ball a piece of newspaper and use masking tape to attach it to the head loop. Wrap and tape one fourth of a sheet of newspaper around the head. Wrap and tape newspaper around the body.

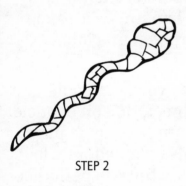

STEP 2

3. Tear small pieces of newspaper. Dip a piece in starch and pull it through your fingers to remove the excess starch. Smooth it onto your form. Repeat until your form is covered with two layers of papier-mâché. Place the snake on wax paper and allow it to dry.

4. Paint the snake. Add patterns and decorations.

Home and After-School Connections   **13**

Serpiente de papel maché

Crea una serpiente de papel maché. Usa figura, patrón, ritmo y movimiento.

Materiales

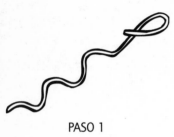

PASO 1

- gancho de alambre o alambre, cizalla
- periódico, cinta adhesiva
- almidón líquido o engrudo de trigo
- papel de cocinar, pintura para artesanías
- brocha y recipiente para agua
- pegamento para artesanías

Nota: Se requiere supervisión de adultos.

Direcciones

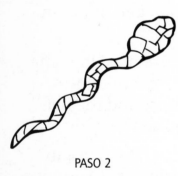

PASO 2

1. Corta un pedazo de alambre para el cuerpo de la serpiente. Crea un bucle con la parte de anzuelo para la cabeza y dobla el cuerpo en una línea ondulada.

2. Toma media hoja de periódico y haz una bola. Usa la cinta adhesiva para conectarlo con el bucle (cabeza). Envuelve y conecta un pedazo de papel de periódico con cinta adhesiva alrededor de la cabeza. Envuelve y conecta una hoja de periódico alrededor del cuerpo con cinta adhesiva.

3. Rompe el periódico para formar piezas pequeñas. Mete un pedazo en el almidón y pásalo por los dedos. Alísalo sobre tu forma. Repite hasta que tu forma esté cubierta con dos capas de papel maché. Coloca la serpiente en papel de cocinar y permite que se seque.

4. Pinta la serpiente. Añade patrones y decoraciones.

Students Explore Color and Value!

Students will soon begin the third unit of their *Art Connections* program—Color and Value. As they progress through the lessons, students will:

- learn about colors and the moods they express.
- learn about value and how adding black or white affects a color.
- look at color and value in fine artwork.
- create their own pieces of art, including a color wheel on a computer, a desert landscape, and an imaginary scene.

Things to Do at Home

The projects your student may be doing include a color wheel on a computer, a nine-patch quilt design, and a painting of an imaginary scene. You can help your student practice the concepts of this unit at home with the following activities.

▶ Visit a local store that sells paint with your student. Look at various color chips, and have your student identify, primary, secondary, and intermediate colors.

▶ Look for examples of value (the lightness or darkness of a color) in images from a magazine. Have your student determine if the various colors contain more white or black.

▶ Complete the Unit 3 activity "Marbleized Book."

Good Books

You may want to look in your local library for these and other good books that show color and value.

Island of the Blue Dolphins by Scott O'Dell
Brainstorm! The Stories of Twenty American Inventors by Tom Tucker
Frozen Fire: A Tale of Courage by James Houston

Can You Help?

Some materials that we could use for upcoming art projects include the following.

If you are able to donate any of these, please let me know by _____.

_____

_____

_____

_____

_____

_____

_____

Thank you,

_____

Boletín Familiar

¡Estudiantes exploran color y valor!

Los estudiantes pronto comenzarán la tercera unidad de su programa de *Art Connections*—Color y Valor. Mientras avanzan en las lecciones, los estudiantes:

- aprenderán sobre los colores y los humores que expresan.
- aprenderán del valor y cómo agregar blanco o negro afecta un color.
- mirarán colores y valores en grandes obras de arte.
- crearán sus propias obras de arte, incluyendo un círculo cromático en una computadora, un paisaje del desierto y una escena imaginaria.

Cosas que hacer en casa

Los proyectos que su estudiante posiblemente hará incluyen un círculo cromático en una computadora, un diseño de nueve parches para una cobija y la pintura de una escena imaginaria. Ud. puede ayudar a su estudiante a practicar los conceptos de esta unidad en casa con las siguientes actividades.

▶ Visite una tienda local que vende pinturas con su estudiante. Mire varios pedacitos de colores y pida que su estudiante identifique los colores primarios, secundarios e intermediarios.

▶ Busque ejemplos de valor (lo claro o lo oscuro de un color) en imágenes de una revista. Pida que su estudiante determine si los colores contienen más de blanco o de negro.

▶ Complete la actividad "Libro marmolizado" de la Unidad 3.

Buenos libros

Ud. puede querer buscar estos y otros buenos libros que muestran color y valor en su biblioteca local.

Island of the Blue Dolphins de Scout O'Dell
Brainstorm! The Stories of Twenty American Kid Inventors de Tom Tucker
Frozen Fire: A Tale of Courage de James Houston

¿Puede Ud. ayudar?

Algunos materiales que podríamos usar para proyectos artísticos en el futuro incluyen los siguientes.

Si puede donar cualquiera de éstos, por favor avíseme para el

_____.

_____

_____

_____

_____

_____

_____

Gracias,

_____

SRA
ART
Connections

Marbleized Book

Make a sewn book with a marbleized cover with color and value.

Materials

- wax paper
- 9" × 12" heavy paper for a cover
- fifteen sheets of $8\frac{1}{2}$" × $11\frac{1}{2}$" white paper
- watercolors
- paintbrush, newspaper
- heavy thread, needle, scissors

Note: Adult supervision required.

STEP 2

Directions

1. Select two paint colors and protect your work area.

2. Tape a piece of wax paper that is larger than the book cover to your protected work surface. Use watercolors to paint a design on the wax paper. Lay the 9" × 12" paper on the wax paper, then gently lift it. Let the cover dry.

STEP 2

3. Crease your marbleized cover in half. Fold the $8\frac{1}{2}$" × $11\frac{1}{2}$" papers in half, open them, and stack them on the cover. Hand-sew the book. Poke a hole in the center of the fold. Make additional holes 2 inches above and below the center hole. Cut two 8-inch pieces of thread. From the outside, thread in through the center hole and out through the top hole. Tie the end of the thread together. Repeat for the bottom half.

STEP 3

Libro marmolizado

Haz un libro tejido con una cubierta marmolizada con el color y el valor.

Materiales

- Papel de cera
- 9" × 12" papel pesado para una cubierta
- quince hojas de papel blanco $8\frac{1}{2}$" × $11\frac{1}{2}$"
- acuarelas
- brocha, periódico
- hilo grueso, aguja, tijeras

PASO 2

Nota: Se requiere supervisión de adultos.

Direcciones

1. Selecciona dos colores de pintura y protege el área de trabajo.

2. Atar un pedazo de papel de cera con cinta adhesiva más grande que la cubierta del libro para proteger el área de trabajo. Usa acuarelas para pintar un diseño en el papel 9" × 12" encima del papel de cera, levántalo con cuidado. Permite que se seque la cubierta.

PASO 2

3. Dobla tu cubierta marmolizada por la mitad. Dobla los papeles de $8\frac{1}{2}$" × $11\frac{1}{2}$" por la mitad, ábralos y apílalos en la cubierta. Puedes coser a mano el libro. Haz un agujero en el medio de tu doblado. Haz más agujeros 2" por encima y por debajo del agujero del medio. Corta dos pedazos de hilo de 8". Desde afuera, ensarta por el agujero del medio y sale por el agujero de arriba. Amarra los extremos juntos. Repite para la mitad inferior.

PASO 3

Students Explore Form, Texture, and Emphasis!

Students will soon begin the fourth unit of their *Art Connections* program—Form, Texture, and Emphasis. As they progress through the lessons, students will:

- learn about forms, which can be measured by length, width, and depth.
- learn about texture that is real and imitated.
- learn about emphasis in works of art.
- look at form, texture, and emphasis in fine artwork.
- create their own pieces of art, including a sculpture, a weaving, and a textured picture.

Things to Do at Home

The projects your student may be doing include a narrative picture using visual textures, a textured weaving, and an animal sculpture. You can help your student practice the concepts of this unit at home with the following activities.

▶ Have your student identify the differences between a two-dimensional shape, such as a picture of a cup, and a three-dimensional form, such as an actual cup.

▶ Have your student close his or her eyes and place an object in front of him or her. Then have your student touch the object and describe its texture.

▶ Complete the Unit 4 activity "Mosaic Stepping Stone."

Good Books

You may want to look in your local library for these and other good books that show form, texture, and emphasis.

Chimpanzee Family Book by Jane Goodall
Look-Alikes: The More You Look, the More You See! by Joan Steiner
Slinky Scaly Slithery Snakes by Dorothy Patent
Casey at the Bat by Earnest Lawrence Thayer, illustrated by Christopher Bing

Can You Help?

Some materials that we could use for upcoming art projects include the following.

If you are able to donate any of these, please let me know

by _____.

_____

_____

_____

_____

_____

_____

_____

_____

_____

Thank you,

Boletín Familiar

¡Estudiantes exploran forma, textura y énfasis!

Los estudiantes pronto comenzarán la cuarta unidad de su programa de *Art Connections*—Forma, Textura y Énfasis. Mientras avanzan en las lecciones, los estudiantes:

- aprenderán de las formas, las cuales se pueden medir de largo, de ancho y su profundidad.
- aprenderán de textura que es real e imitada.
- aprenderán del énfasis en grandes obras de arte.
- mirarán forma, textura y énfasis en grandes obras de arte.
- crearán sus propias obras de arte, incluyendo una escultura, una tejedura y un cuadro con textura.

Cosas que hacer en casa

Los proyectos que su estudiante posiblemente hará incluyen un cuadro narrativo usando texturas visuales, una tejedura con textura y una escultura de un animal. Ud. puede ayudar a su estudiante a practicar los conceptos de esta unidad en casa con las siguientes actividades.

▶ Pida que su estudiante identifique las diferencias de una forma bidimensional, tal como la foto de una taza, y una forma tridimensional, tal como una taza real.

▶ Pida que su estudiante cierre sus ojos y ponga un objeto delante de él o de ella. Luego pida que toque el objeto y describa su textura.

▶ Complete la actividad "Pasadero mosaico" de la Unidad 4.

Buenos libros

Ud. puede querer buscar estos y otros buenos libros que muestran forma, textura y énfasis en su biblioteca local.

Chimpanzee Family Book de Jane Goodall
Look-Alikes: The More You Look, the More You See de Joan Steiner
Slinky Scaly Slithery Snakes de Dorothy Hinshaw Patent
Casey at the Bat de Earnest Lawrence Thayer, ilustrado por Christopher Bing

¿Puede Ud. ayudar?

Algunos materiales que podríamos usar para proyectos artísticos en el futuro incluyen los siguientes.

Si puede donar cualquiera de éstos, por favor avíseme para el

_____.

_____

_____

_____

_____

_____

_____

_____

Gracias,

_____

SRA ART Connections

Mosaic Stepping Stone

Use form, texture, and emphasis to create a mosaic stepping stone for your yard.

Materials

- shovel, pizza box, plastic wrap
- bag of sand mix concrete or quick-drying concrete
- water
- large plastic or metal tub or wheelbarrow to mix concrete
- tiles, marbles, sea shells, glass beads, or flat rocks for mosaic decoration

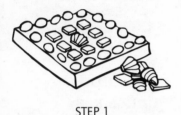

STEP 1

Directions

1. Gather a variety of objects to use for your mosaic. Remove the top of a pizza box and save the bottom for the mold. Use the top of the box to plan a design. Make sure the objects in your design are not touching.

2. Line the bottom of the box with plastic wrap and mix the concrete. Shovel the concrete into the mold and smooth it.

STEP 3

3. Place the objects into the concrete form, copying your design. Push pieces in so that no edges stick out.

4. Allow your stepping stone to dry, then carefully turn it over and remove the bottom mold and plastic wrap.

Suggestion: When making a large concrete form, pour about 1 inch of concrete into your form and lay a piece of chicken wire or hardware cloth over the top. Pour the rest of your concrete on top. This will add strength to your form.

Pasadero mosaico

Usa forma, textura y énfasis para crear un pasadero mosaico para su patio.

Materiales

- pala, caja de pizza, papel de plástico
- mezcla de cemento que se seca rápidamente
- agua
- cubo grande de plástico o una carretilla para mezclar el cemento
- azulejos, canicas, conchas, gotas de vidrio o piedras planas para la decoración mosaica

PASO 1

Direcciones

1. Reúne una variedad de objetos para usar en tu mosaica. Quita la tapa de la caja de pizza y guarda el resto para el molde. Usa la tapa de la caja para planificar un diseño. Asegura que los objetos de tu diseño no se están tocando.

2. Forra el fondo de la caja con papel de plástico y mezcla el cemento. Llena el molde con cemento y aplánalo.

3. Pon los objetos en la forma de cemento, copiando tu diseño. Empuja las piezas hasta que los filos de éstas no salgan.

4. Permite que se seque la piedra y dale la vuelta con cuidado para quitarle el molde y la envoltura de plástico.

PASO 3

Sugerencia: Cuando haces una forma grande de concreto, echa aproximadamente 1" de concreto en tu molde y pon un pedazo de alambre o un trapo de ferretería a 1" de la orilla. Echa lo demás del concreto encima. Esto va a hacer más fuerte la forma para que no se rompa.

Family Newsletter

Students Explore Space, Proportion, and Distortion!

Students will soon begin the fifth unit of their *Art Connections* program—Space, Proportion, and Distortion. As they progress through the lessons, students will:

- learn space and perspective techniques used to make a flat surface appear to have depth.
- learn about proportion and distortion and why artists use both in works of art.
- look at space, proportion, and distortion in fine artwork.
- create their own pieces of art, including a self-portrait, photographs, and drawings.

Things to Do at Home

The projects your student may be doing include landscape and perspective drawings, a self-portrait, and a distorted photograph using a computer. You can help your student practice the concepts of this unit at home with the following activities.

▶ With your student, examine comic strips and computer printed images. Take turns identifying "funny," or distorted, images.

▶ Have your student observe how objects appear smaller when you are farther away from them.

▶ Complete the Unit 5 activity "Clay Portrait Tile."

Good Books

You may want to look in your local library for these and other good books that show space, proportion, and distortion.

Tuesday by David Wiesner
The Gardener by Sarah Stewart
Grandfather's Journey by Allen Say
Zathura by Chris Van Allsburg

Good Books

Can You Help?

Some materials that we could use for upcoming art projects include the following.

If you are able to donate any of these, please let me know

by _____.

_____

_____

_____

_____

_____

_____

_____

_____

Thank you,

_____

¡Estudiantes exploran espacio, proporción y distorsión!

Los estudiantes pronto comenzarán la quinta unidad de su programa de *Art Connections*—Espacio, Proporción y Distorsión. Mientras avanzan en las lecciones, los estudiantes:

- aprenderán técnicas de espacio y perspectiva que se usarán para hacer que una superficie plana tenga profundidad.
- aprenderán sobre la proporción y la distorsión y por qué artistas usan las dos en obras de arte.
- mirarán espacio, proporción y distorsión en grandes obras de arte.
- crearán sus propias obras de arte, incluyendo un autorretrato, fotografías y dibujos.

Cosas que hacer en casa

Los proyectos que su estudiante posiblemente hará incluyen dibujos de paisajes y de perspectivas, un autorretrato y una fotografía distorsionada usando una computadora. Ud. puede ayudar a su estudiante a practicar los conceptos de esta unidad en casa con las siguientes actividades.

► Con su estudiante, examine las tiras cómicas e imágenes impresas por computadora. Alternen identificando imágenes "raras" o distorsionadas.

► Pida que su estudiante observe como los objetos se ven más pequeños cuando uno está lejos de ellos.

► Complete la actividad "Azulejo de arcilla de retrato" de la Unidad 5.

Buenos libros

Ud. puede querer buscar estos y otros buenos libros que muestran espacio, proporción y distorsión en su biblioteca local.

Tuesday de David Wiesner
The Gardener de Sarah Stewart
Grandfather's Journey de Allen Say
Zathura de Chris Van Allsburg

¿Puede Ud. ayudar?

Algunos materiales que podríamos usar para proyectos artísticos en el futuro incluyen los siguientes.

Si puede donar cualquiera de éstos, por favor avíseme para el

_____.

_____

_____

_____

_____

_____

_____

_____

Gracias,

_____

Clay Portrait Tile

Create a clay portrait tile. Incorporate space and proportion.

Materials

- oven-baked clay or self-hardening clay
- pencil
- plastic knife, plastic fork
- shallow bowl and water
- paperclip
- paper plate or piece of fabric to work on

Directions

1. Decide who you would like to make a portrait tile of. Cover your work surface with a piece of fabric or a paper plate.

2. Using the clay, form an oval the size of your palm and the thickness of your thumb. Shape this into the head.

3. Pinch some clay from the center of the oval to form the nose. Use coils and pieces of clay to form eyes, ears, and a mouth.

4. Roll small coils to create hair. A plastic fork can scratch in the texture of the hair. Add details with a pencil. Push a paper clip through the top of the completed portrait to create a hanger. Allow your portrait tile to air dry, or bake if needed.

STEP 2

STEP 3

Azulejo de arcilla de retrato

Crea un azulejo de arcilla de retrato. Incorpora espacio y proporción.

Materiales

- arcilla cocida al horno o arcilla que se endurece
- lápiz
- cuchillo de plástico, tenedor de plástico
- plato llano y agua
- sujetapapeles
- plato de papel o un pedazo de tela para trabajar

PASO 2

Direcciones

1. Decide de quien quieres hacer un azulejo de arcilla. Tapa la superficie de tu trabajo con una tela o plato de papel.

2. Usando la arcilla, forma un oval del tamaño de tu palma y el grueso de tu pulgar. Fórmalo en una cabeza.

PASO 3

3. Pellizca un poco de arcilla del centro del oval para formar la nariz. Usa bobinas y pedazos de arcilla para formar los ojos, las orejas y la boca.

4. Rueda pequeñas bobinas para crear el pelo. Un tenedor de plástico puede darle la textura al pelo. Añade detalles con un lápiz. Empuja un sujetapapeles a través del retrato terminado para crear un gancho. Permite que tu retrato se seque al aire libre o lo puedes poner al horno si lo necesitas.

Students Explore Balance, Emphasis, and Unity!

Students will soon begin the sixth unit of their *Art Connections* program—Balance, Harmony, Variety, and Unity. As they progress through the lessons, students will:

- learn about balance and how artists use it to create equal visual weight.
- learn about harmony that creates a union of elements.
- learn about variety that creates differences and contrasts in works of art.
- learn about unity that creates a feeling of oneness in art.
- look at balance, harmony, variety, and unity in fine artwork.

Things to Do at Home

The projects your student may be doing include the creation of a family portrait, a model of a sculpture, and a wrapped coil basket. You can help your student practice the concepts of this unit at home with the following activities.

► With your student, discuss what makes each member of your family unique. Then discuss how the individual members create a single family.

► Look at food containers and billboards that have parts that stand out more than others. Discuss the purpose of this emphasis with your student.

► Complete the Unit 6 activity "Drawstring Bag."

Good Books

You may want to look in your local library for these and other good books that show balance, harmony, variety, and unity.

Littlejim's Dreams by Gloria Houston
Fair Weather by Richard Peck
Fearless Fernie: Hanging Out with Fernie & Me by Gary Soto

Good Books

Can You Help?

Some materials that we could use for upcoming art projects include the following.

If you are able to donate any of these, please let me know

by _____.

_____

_____

_____

_____

_____

_____

_____

_____

Thank you,

_____

Boletín Familiar

Connections — Unidad 6 • Equilibrio, Armonía, Variedad y Unidad — Nivel 4

¡Estudiantes exploran equilibrio, armonía, variedad y unidad!

Los estudiantes pronto comenzarán la sexta unidad de su programa de *Art Connections*—Equilibrio, Armonía, Variedad y Unidad. Mientras avanzan en las lecciones, los estudiantes:

- aprenderán del equilibrio y cómo los artistas lo usan para crear peso visual parejo.
- aprenderán sobre la armonía que crea una unión de elementos.
- aprenderán de la variedad que crea diferencias y contrastes en obras de arte.
- aprenderán de la unidad que crea una sensación de que todo pertenece junto en el arte.
- mirarán equilibrio, armonía, variedad y unidad en grandes obras de arte.

Cosas que hacer en casa

Los proyectos que su estudiante posiblemente hará incluyen la creación de un retrato familiar, un modelo de una escultura y un cesto de carrete envuelto. Ud. puede ayudar a su estudiante a practicar los conceptos de esta unidad en casa con las siguientes actividades.

▶ Con su estudiante, discuta lo que hace cada miembro de su familia único. Luego discuta como los miembros individuales crean una sola familia.

▶ Mire recipientes de comida y especulares que tienen aspectos que sobresalen más que otros. Discuta el propósito de este énfasis con su estudiante.

▶ Complete la actividad "Bolsa de cordón" de la Unidad 6.

Buenos libros

Ud. puede querer buscar estos y otros buenos libros que muestran equilibrio, armonía, variedad y unidad en su biblioteca local.

Littlejim's Dreams de Gloria Houston
Fair Weather de Richard Peck
Fearless Fernie: Hanging Out with Fernie & Me de Gary Soto

¿Puede Ud. ayudar?

Algunos materiales que podríamos usar para proyectos artísticos en el futuro incluyen los siguientes.

Si puede donar cualquiera de éstos, por favor avíseme para el

_____.

_____

_____

_____

_____

_____

_____

_____

_____

Gracias,

28 Home and After-School Connections

Drawstring Bag

Use balance, harmony, variety, and unity to make a drawstring bag.

Materials

- $\frac{1}{4}$ yard of fabric
- ruler, pencil or pen
- needle and thread or fabric glue
- craft glue, scissors
- buttons or beads
- 1 yard of $\frac{1}{4}$ inch ribbon or cording, cut in half
- safety pin

Note: Adult supervision required.

STEP 1

Directions

1. Measure and draw a 6" × 12" rectangle on the fabric. Cut out the shape. Fold the 6-inch ends over $\frac{1}{2}$ inch. Sew or glue the fabric in place, creating a tunnel for the ribbon to slide through.

2. Fold the rectangle in half, so that the tunnels are together and the wrong side of the fabric is facing out. Sew or glue sides $\frac{1}{2}$ inch in, but stop before you reach the tunnel.

STEP 2

3. Turn right-side out. Pin a safety pin on one end of a piece of ribbon. Insert it into the first tunnel from the left. Slide it through the first tunnel then through the second tunnel. Knot the ends together on the left. Pin the second ribbon and insert it into the first tunnel from the right. Slide it through the two tunnels and knot the ends together on the right. Pulling the two knotted ends will close the bag.

4. Glue or sew buttons and beads to decorate the bag.

Bolsa de cordón

Usa equilibrio, armonía, variedad y unidad para hacer una bolsa de cordón.

Materiales

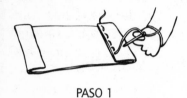

PASO 1

- $\frac{1}{4}$ yarda de tela
- regla, lápiz o bolígrafo
- aguja e hilo o pegamento de tela
- pegamento para artesanías, tijeras
- botones o gotas
- 1 yarda de listón de $\frac{1}{4}$ pulgada, cortada por la mitad
- imperdible

Nota: Se requiere supervisión de adultos.

Direcciones

PASO 2

1. Mide y dibuja un rectángulo de 6" × 12" en la tela. Corta la figura. Dobla los extremos de 6" sobre $\frac{1}{2}$". Cose o pega la tela en su lugar, creando un túnel par que el listón pase.

2. Dobla el rectángulo por la mitad, para que los túneles estén juntos y para que el lado incorrecto de la tela esté hacia fuera. Cose o pega los lados de $\frac{1}{2}$" adentro, pero, para antes que llegues al túnel.

3. Da vuelta el derecho hacia fuera. Fija con un imperdible en un extremo del listón. Introdúcelo en el primer túnel de la izquierda. Resbálalo a través del primer túnel entonces con el segundo túnel. Anuda los extremos juntos a la izquierda. Fija el segundo listón e insértalo en el primer túnel desde la derecha. Resbálalo a través de los dos túneles y anuda los extremos juntos a la derecha. Tira los dos extremos para cerrar la bolsa.

4. Pega o cose botones y gotas para decorar la bolsa.

ART Family Newsletter

Get Ready for Summer Fun with Art!

This year students have learned a great deal about art through the *Art Connections* program. During the school year students:

- studied the elements and principles of art, such as line, color, and space.
- learned about artists and their works.
- learned about different careers in art.
- created their own works of art using the elements and principles of art.

Things to Do at Home

You can help your child practice art concepts over the summer with the following activities.

▶ Help your child look for the elements and principles of art in the world around you. Look at flowers, neighborhood buildings, and other objects in your environment. What kinds of lines, shapes, and colors do you see?

▶ Encourage your child to pay special attention to images in books, magazines, and so on. Do the images remind your child of any works of art? How are they similar? How are they different?

Good Books

You may want to look for these and other good books about art at your local library.

How Artists See series by Colleen Carroll
Hands-On series by Yvonne Y. Merrill

Museum Visits

Visit a museum with your child. Many museums offer guided tours or have special programs for young people. Before the visit, remind your child about museum etiquette (such as not touching the artwork). During and after the visit, discuss the works of art with your child. Which works does your child like best? Why? What does your child think the artist was trying to say?

SRA ART Connections

Arte del Verano

Boletín Familiar

¡Estén listos para la diversión durante el verano con el arte!

Este año los estudiantes han aprendido mucho sobre el arte a través del programa *Art Connections*—Los estudiantes durante el año escolar:

- estudiaron los elementos y principios artísticos, como la línea, el color y el espacio.
- aprendieron sobre los artistas y sus obras.
- aprendieron sobre diversas carreras en el arte.
- crearon sus propias obras de arte usando los elementos y principios.

Cosas que hacer en casa

Ud. puede ayudar a su hijo o hija a practicar los conceptos de arte durante el verano con las siguientes actividades.

▶ Ayude a su hijo o hija a encontrar los elementos y principios artísticos en sus alrededores. ¿Qué tipos de líneas, figuras y colores pueden ver?

▶ Anime a su hijo o hija poner atención especial a las imágenes en los libros, revistas y a otras cosas. ¿Hacen pensar las imágenes a su hijo o hija de algunas obras de arte? ¿Cómo se parecen? ¿Cómo son diferentes?

Buenos libros

Ud. puede querer buscar en su biblioteca local estos y otros buenos libros sobre el arte.

How Artists See series de Colleen Carroll
Hands-On series de Yvonne Y. Merrill

Visitas al museo

Puede visitar un museo con su hijo o hija. Muchos museos ofrecen excursiones o tienen programas especiales para los estudiantes. Antes de visitar, recuerde a su hijo o hija sobre el protocolo del museo (como no tocar las obras de arte). Durante y después de la visita, discuta sobre las obras de arte con su hijo o hija. ¿Cuáles obras le gustan más a su hijo o hija? ¿Por qué? ¿Qué piensa su hijo o hija de lo que el artista está intentando de comunicar?